Les Éditions du Boréal
4447, rue Saint-Denis
Montréal (Québec) H2J 2L2
www.editionsboreal.qc.ca

L'année CHAPLEAU 2013

SERGE CHAPLEAU

L'année CHAPLEAU 2013

Boréal

Les Éditions du Boréal reconnaissent l'aide financière du gouvernement du Canada par l'entremise du Fonds du livre du Canada (FLC) pour leurs activités d'édition.

Les Éditions du Boréal sont inscrites au Programme d'aide aux entreprises du livre et de l'édition spécialisée de la SODEC et bénéficient du programme de crédit d'impôt pour l'édition de livres du gouvernement du Québec.

Illustration de la couverture : Serge Chapleau

© Les Éditions du Boréal 2013
Dépôt légal : 4ᵉ trimestre 2013
Bibliothèque et Archives nationales du Québec

Diffusion au Canada : Dimedia

Catalogage avant publication de Bibliothèque et Archives nationales du Québec et Bibliothèque et Archives Canada
Chapleau, Serge, 1945-
    L'année Chapleau
    ISSN 1202-8495
    ISBN 978-2-7646-2289-6

1. Caricatures et dessins humoristiques – Canada. 2. Canada – Politique et gouvernement – 2006- – Caricatures et dessins humoristiques. 3. Québec (Province) – Politique et gouvernement – 2012- – Caricatures et dessins humoristiques. I. Titre.

NC1449.C45A4   741.5'971   C95-300755-3

"C'était ma façon à moi de remettre cet argent-là dans les coffres de l'État"

Gilles Surprenant

L'ingénieur municipal Gilles Surprenant avoue avoir reçu 600 000 $ en pots de vin, dont 250 000 qu'il aurait dépensés au Casino de Montréal.

La ministre de l'Éducation, Marie Malavoy, annonce une série de mesures.

LE NOUVEAU GAGNANT DU TOUR DE FRANCE:

~~LANCE ARMSTRONG~~
~~GEORGE HINCAPIE~~
~~BRADLEY WIGGINS~~
~~CADEL EVANS~~
~~ANDY SCHLECK...~~

VAILLANCOURT CONSULTE SON MÉDECIN

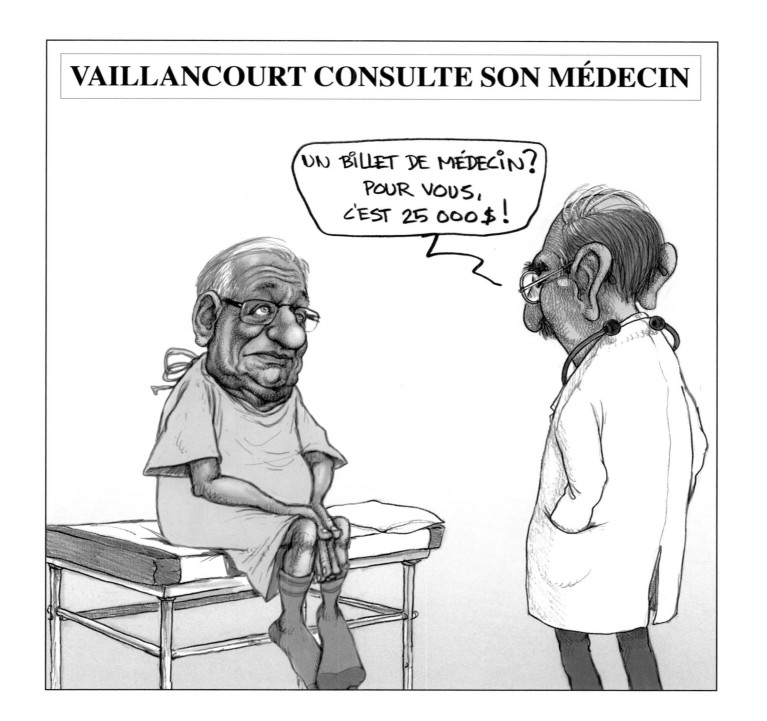

DENIS CODERRE

CONTENANT

CONTENU

Un scandale sexuel force le directeur de la CIA à démissionner.

Barack Obama remporte un deuxième mandat à la Maison blanche.

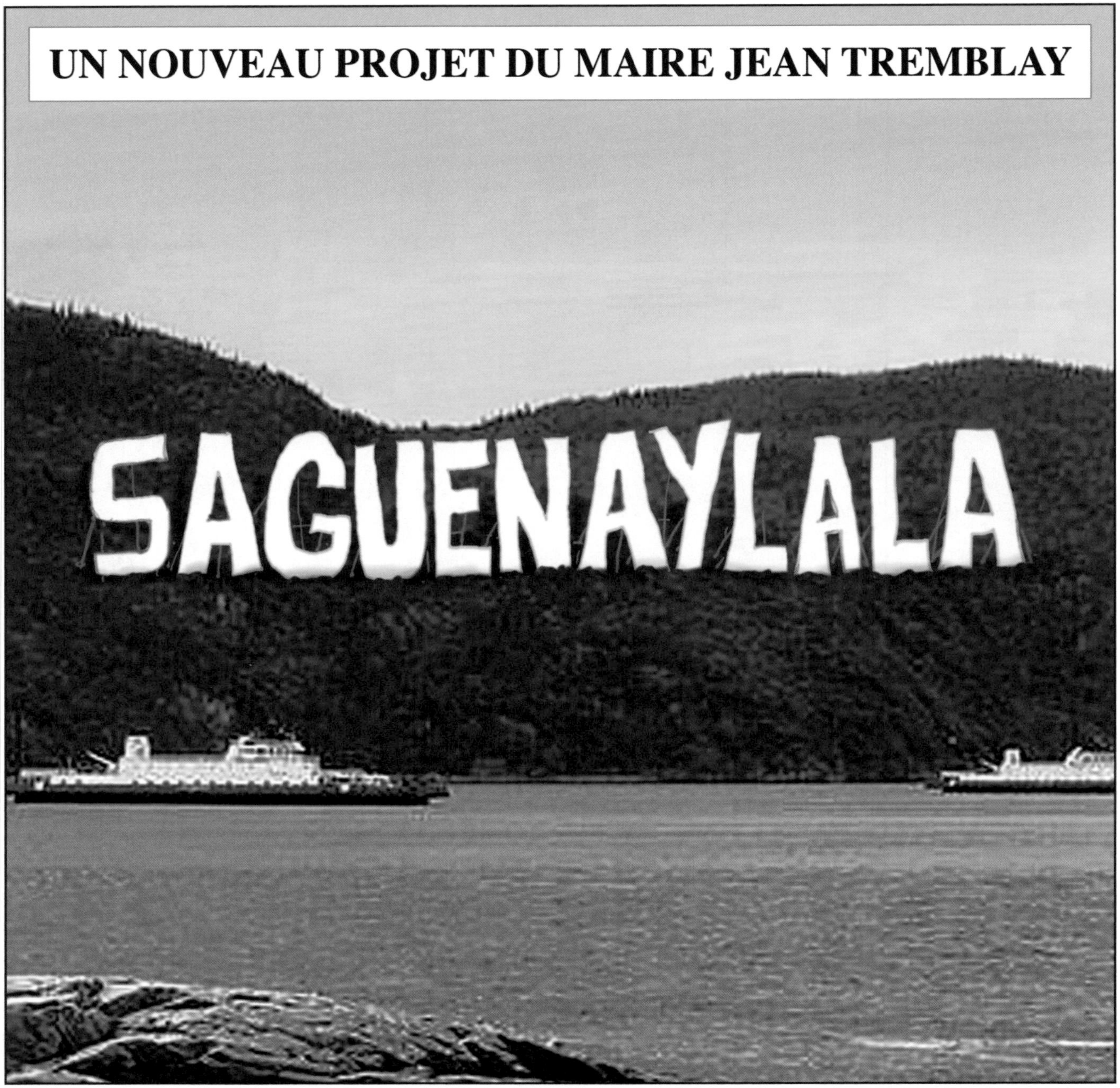
UN NOUVEAU PROJET DU MAIRE JEAN TREMBLAY
SAGUENAYLALA

L'ancien PDG de SNC-Lavalin arrêté par l'UPAC.

Le ministre du Développement durable soupçonné d'ingérence auprès du BAPE.

**APRÈS MONTRÉAL, LAVAL, MASCOUCHE...
LES ENVELOPPES BRUNES ARRIVENT À TORONTO!**

Le maire de Toronto, Rob Ford, impliqué dans une affaire de conflit d'intérêts.

Le président du Conseil du Trésor rend les libéraux responsables des compressions qu'il doit imposer.

120 HEURES DE TRAVAUX COMMUNAUTAIRES POUR GABRIEL NADEAU-DUBOIS

ENFIN C'EST FINI!

GARY BETTMAN REMERCIE LES AMATEURS POUR LEUR PATIENCE

Fin du lock-out à la Ligue nationale de hockey.

RÉACTION DES RECTEURS AUX COMPRESSIONS DANS LES UNIVERSITÉS

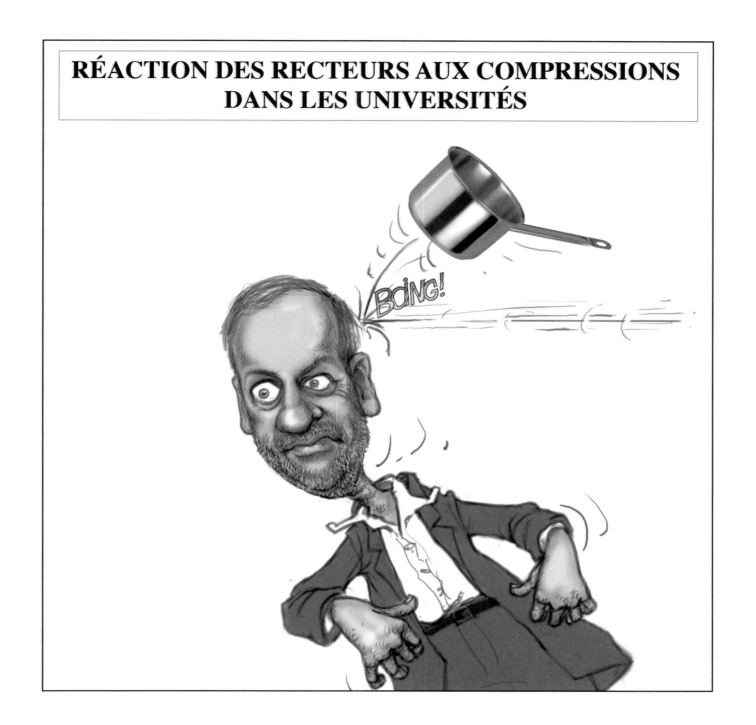

Le ministre de l'Enseignement supérieur annonce des compressions de 140 millions.

14 DÉCEMBRE 2012

Fusillade dans une école primaire aux États-Unis.

MOONWALK PÉQUISTE OU LA DANSE EN LIGNE DE PARTI

**AFFAIRES AUTOCHTONES:
HARPER SUIT LA SITUATION DE PRÈS**

Gérard Depardieu fait l'éloge de Vladimir Poutine.

Réunion entre les chefs autochtones et Stephen Harper.

HABILEMENT DÉGUISÉ, BERNARD DRAINVILLE VISITE LE CENTRE SPORTIF CÔTE-DES-NEIGES

Commission Charbonneau : l'ex-organisateur politique Martin Dumont admet avoir inventé des éléments de son témoignage.

SORTIE DE JACQUES PARIZEAU EN FAVEUR
DE LA GRATUITÉ SCOLAIRE

**PHOTO OFFICIELLE DE LA RENCONTRE ENTRE
LA PREMIÈRE MINISTRE DU QUÉBEC, PAULINE MAROIS, ET
LE PREMIER MINISTRE DE L'ÉCOSSE, ALEX SALMOND**

DERNIÈRE JOURNÉE DE TÉMOIGNAGE: MICHEL LALONDE VERSE UNE LARME...

Le PDG de Génius conseil exprime ses regrets devant la commission Charbonneau.

VERS LE SOMMET SUR L'ENSEIGNEMENT SUPÉRIEUR...

La Maison blanche diffuse une photo montrant Barack Obama pratiquant le tir au pigeon d'argile.

GIUSEPPE BORSELLINO
TÉMOIGNE DANS LES DEUX LANGUES

UNE DEUXIÈME DÉFAITE POUR LE SÉNATEUR BRAZEAU

Le sénateur Patrick Brazeau est expulsé du caucus conservateur pour cause de violence conjugale.

APRÈS BANANARCHISTE, VOICI BLÉ D'INDIGNÉ

ÉLECTIONS ITALIENNES: "UN VRAI BORDEL!"
RÉACTION DE SILVIO BERLUSCONI

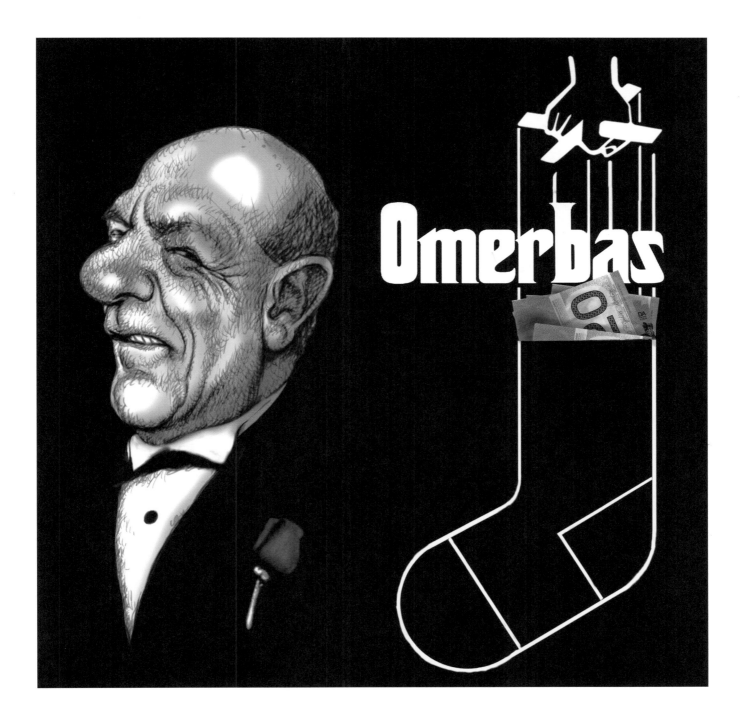

Nicolo Milioto, ex-président de Mileva Construction, surnommé « Monsieur Trottoir »,
nie l'existence d'un cartel dans ce domaine.

COMPRESSIONS À L'AIDE SOCIALE

Le sénateur Boisvenu a enfreint les règles du Sénat en embauchant sa coinjointe.

MOONWALK PÉQUISTE... LA SUITE

Agnès Maltais, ministre de la Solidarité sociale, ne reculera pas au sujet des coupes à l'aide sociale.

Course à la chefferie au Parti libéral du Québec.

PIERRE KARL PÉLADEAU CÈDE LES RÊNES DE QUÉBECOR

Le nouveau chef du Parti libéral nie avoir entretenu des liens d'amitié avec Arthur Porter,
ancien patron du Centre de santé de l'Université McGill, qui fait face à des accusations de corruption.

MARCEAU (LE MINISTRE) RÉAGIT AU BUDGET FLAHERTY

L'ancien responsable du financement d'Union Montréal comparaît devant la commission Charbonneau.

LA MENACE DE KIM JONG-UN

Le nouveau livre de l'historien Frédéric Bastien, *La Bataille de Londres,* fait état de manœuvres douteuses de Trudeau et de son entourage au moment du rapatriement de la Constitution en 1982.

CONGRÈS DU NPD: L'EFFET JUSTIN

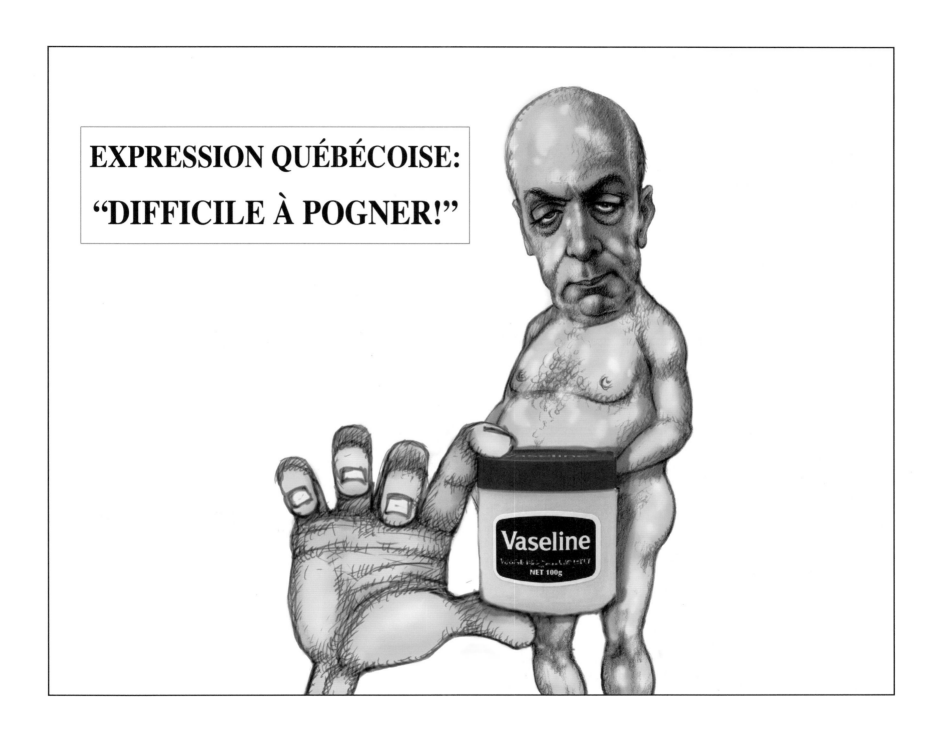

À la commission Charbonneau, Frank Zampino, ex-président du comité exécutif de la Ville de Montréal, nie avoir entretenu des liaisons avec la mafia.

Grabuge à l'hôtel de ville contre le règlement interdisant notamment de participer à visage couvert à une manifestation.

LES ROLLING STONES À MONTRÉAL

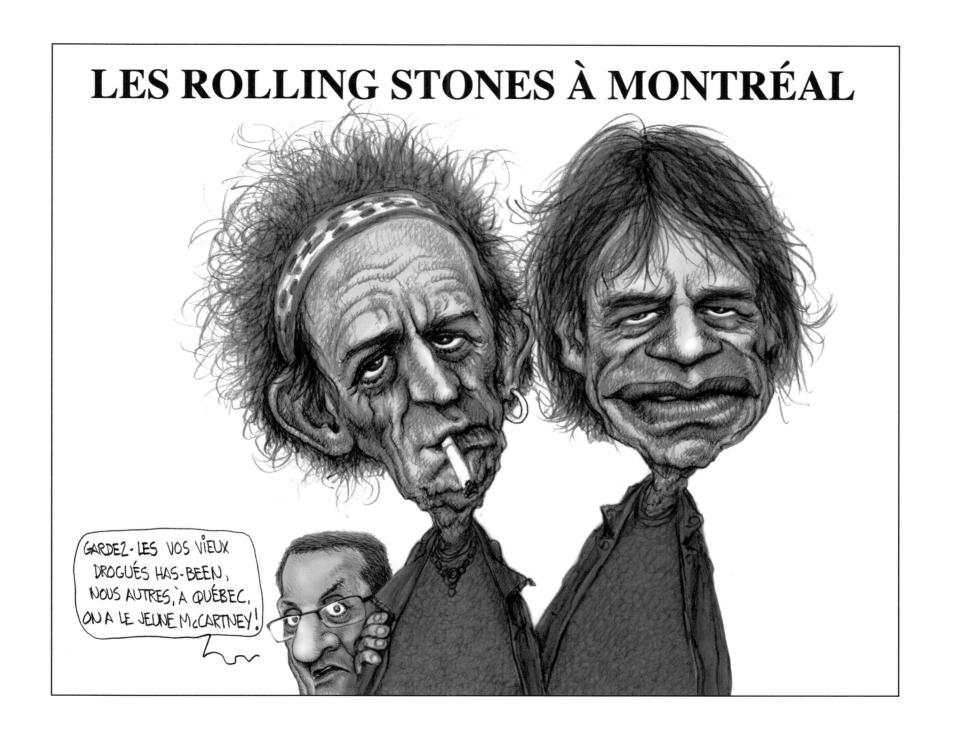

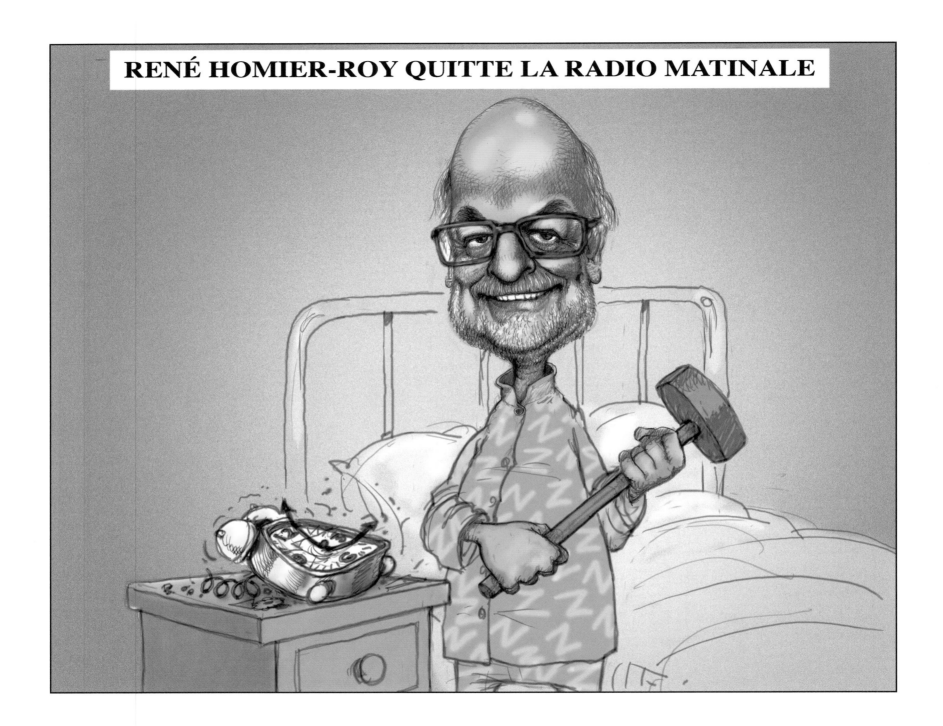

MARTINE OUELLET, MINISTRE DES RESSOURCES NATURELLES

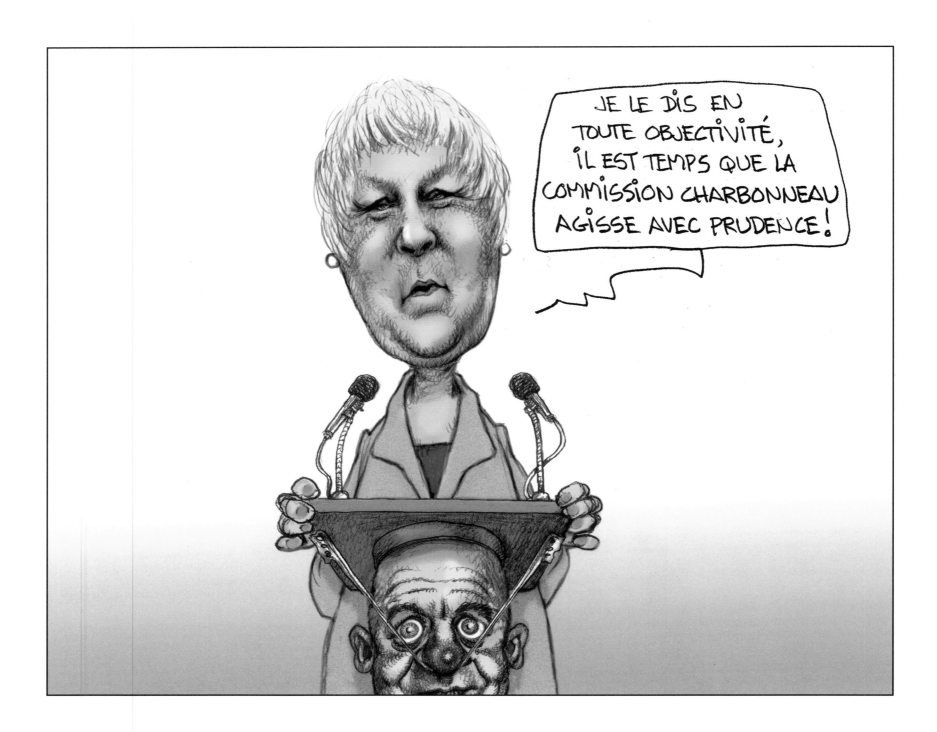

Le nom de l'ex-ministre péquiste des Transports Guy Chevrette cité à la commission Charbonneau.

FRANÇOISE DAVID NOUS PRÉSENTE SON NOUVEAU PORTE-PAROLE: ANDRÉS FONTECILLA

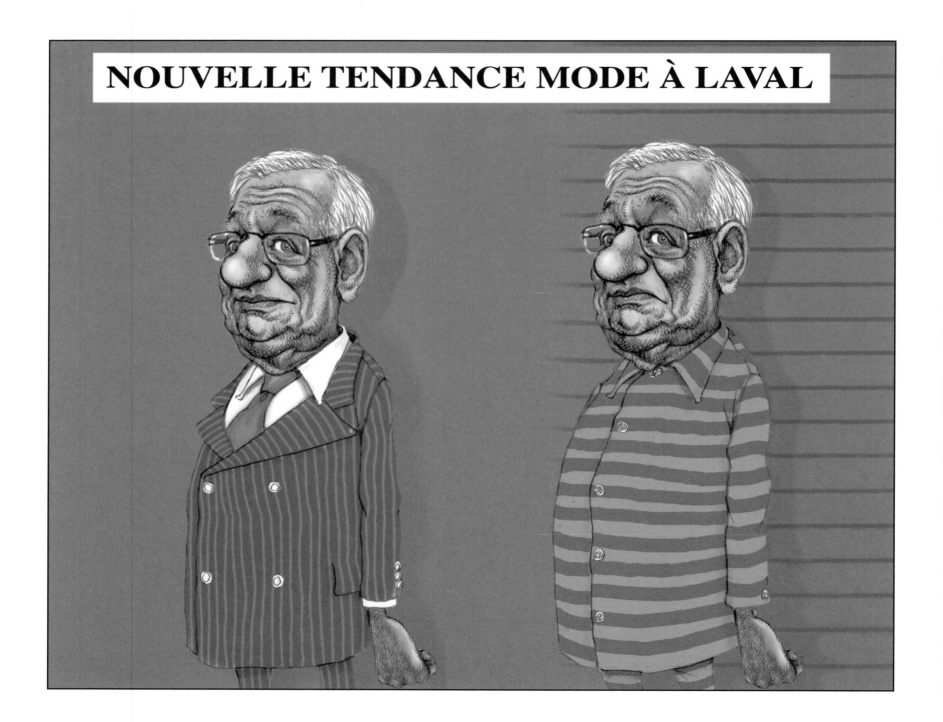

C'EST LE PRINTEMPS À MONTRÉAL...
AVEC LE RETOUR DES CÔNES ORANGES!

NATHALIE NORMANDEAU OUVERTE À UN RETOUR EN POLITIQUE

L'EMPIRE ACCURSO CHANGE DE MAIN

LE FANTASME DE PHILIPPE COUILLARD

COMMISSION D'ENQUÊTE SUR LE PRINTEMPS ÉRABLE

OUI À L'ALCOOL DANS LES CASINOS

APRÈS LA TUTELLE DE LAVAL, VOICI LA TUTUTELLE ET LE CHANT DU CYGNE D'ALEXANDRE DUPLESSIS

Le maire intérimaire de Laval doit démissionner à cause d'une affaire louche impliquant une prostituée.

LAURENT BLANCHARD, NOUVEAU MAIRE PAR INTÉRIM

APRÈS L'ÉCOSSE... LE MEXIQUE

Le Terminal

Tom Hanks
et
Edward Snowden

L'ancien consultant des services secrets américains, recherché par Washington pour ses révélations sur les programmes d'espionnage des États-Unis, trouve refuge dans la zone de transit de l'aéroport Cheremetievo à Moscou.

DEUX DES RAISONS
DU DÉPART DE JEAN-MARTIN AUSSANT

Lac-Mégantic, le 6 juillet 2013.

Le Sénat réclame à Pamela Wallin le remboursement de dépenses de voyages injustifiées.

LA MAIRESSE DE LAC-MÉGANTIC SE PRÉPARANT À SA RENCONTRE AVEC LE PDG DE MMA

UN BURGER IN VITRO DE 250 000 €

ED BURKHARDT RETOURNE À CHICAGO

BANNIR LES SIGNES RELIGIEUX:

UN DES PREMIERS ENDROITS OÙ LES CROIX VONT DISPARAÎTRE

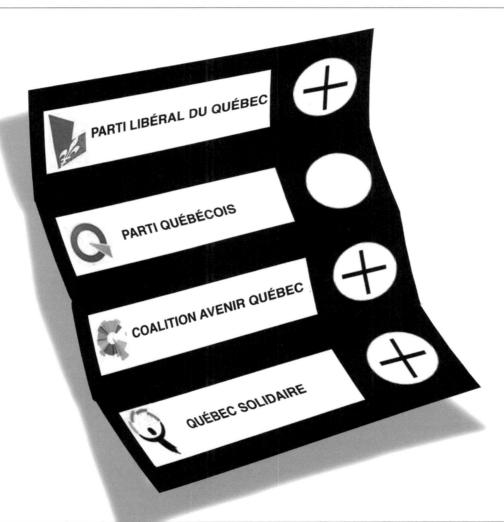

GUERRE DE CHIFFRES

Finances publiques québécoises : l'opposition exige des chiffres.

DEUX POIDS, DEUX MESURES...

LE PARTI QUÉBÉCOIS RELANCE LE DÉBAT SUR L'IDENTITÉ QUÉBÉCOISE

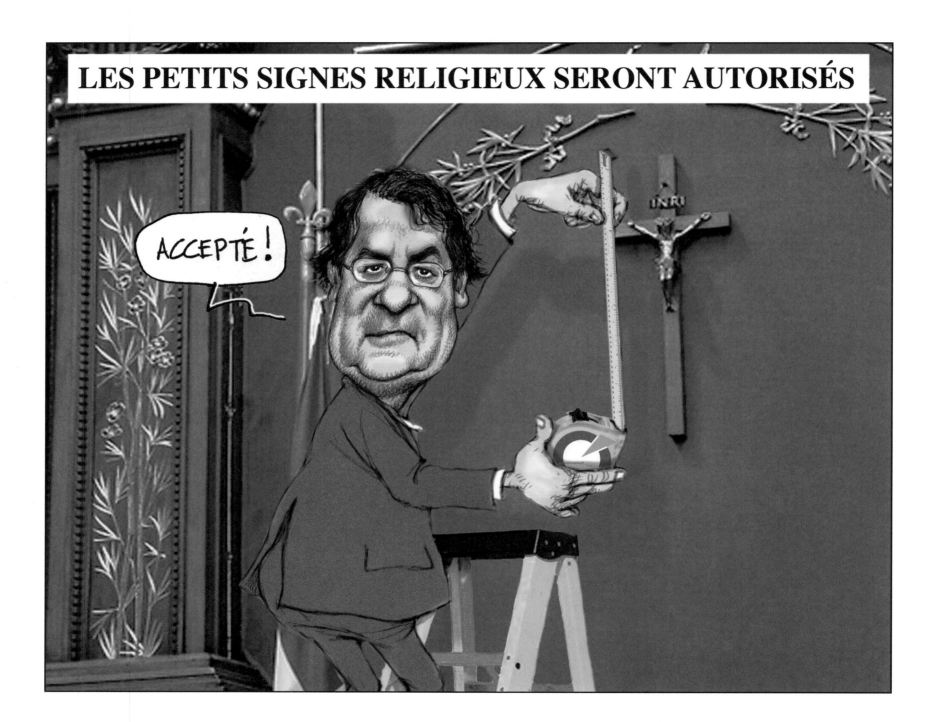

CHARTE: COUILLARD RÉAGIT

Le Bloc québécois expulse Maria Mourani à cause de ses propos contre la Charte des valeurs québécoises.

Jacques Duchesneau, député de la CAQ, « pose des questions » au sujet de la consommation de cocaïne d'André Boisclair.

Le pont Champlain dépérit plus vite que prévu.

DES FEMEN À L'ASSEMBLÉE NATIONALE

> IL EST DE MON DEVOIR, EN TANT QUE MINISTRE RESPONSABLE, DE VÉRIFIER SI CERTAINS SIGNES DE PROTESTATION NE SONT PAS OSTENTATOIRES !

Des militantes Femen perturbent la période de questions à l'Assemblée nationale en dévoilant leur poitrine, où est inscrit le slogan : « Crucifix décâlisse ».

FINIRONT-ILS PAR SE SERRER LA MAIN?

Pour la première fois depuis vingt-sept ans, une conversation téléphonique a lieu entre les présidents américain et iranien.

PÉQUISTES
DÉSESPÉRÉES
SAISON 1
LA CHARTE DES VALEURS QUÉBÉCOISES

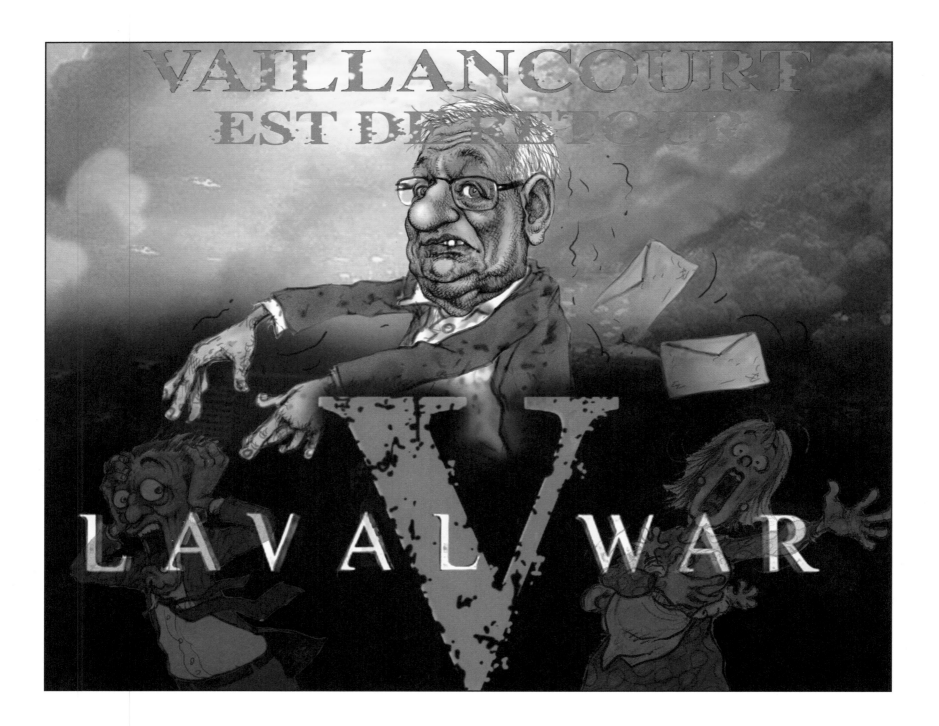

MARCEL CÔTÉ CONTINUE SA CAMPAGNE

ACHEVÉ D'IMPRIMER EN NOVEMBRE 2013
SUR LES PRESSES DE MARQUIS IMPRIMEUR
MONTMAGNY (QUÉBEC).